Tosca Menten &
Jeska Verstegen

Kereltje

Kareltje

Van Goor

STICHTING NEDERLANDSE
KINDERJURY
2005

ISBN 90 00 03583 X

Dit is het eerste boek van Kereltje Kareltje

Kereltje Kareltje is een jongen.
Hij is ook een kluns.
Maar daar kan hij niks aan doen.

Dit is ook het eerste boek van alle anderen

Dit is Sabien.
Sabien past op
Kareltje en op
de groene
sleutel.

Dit is Sas.
Sas is Kareltjes
beste vriendin.

Dit is opa Hans
Met opa Hans
kun je lachen.
Hij weet ook
best veel.

Dit is het raam waardoor
mevrouw Pruik loert naar
kleine kinderen.
Mevrouw is een eng mens.
Misschien is ze een heks.

Dit is de groene sleutel.
De groene sleutel past
op de voordeur
van Kareltjes huis.

Dit zijn Kareltjes
vader en moeder.
Iedere dag gaan ze
naar een kantoor.

En dit zijn hun eerste verhalen

Een hoofd als een meloen 7

Een meloen met flaporen 11

Een reuzenviool 16

De eerste les 21

Kareltje vindt een zwerver 27

Eten voor Tarzan 31

Tarzan is Soes 35

Vliegeren 41

Kareltje schilt een aardappel 48

Het pieperlied 53

Vogelpoep 57

Dat is schrikken 62

Kareltje wordt punk 66

Superpunk 71

Een bijzondere wandeling 76

Flessen omgooien 81

Chris de vis 88

Een vis in een slang 92

Kareltje knipt de tulpen 96

Sabien is boos 100

Geen echte visser 105

Eerlijk gevangen 110

Kareltje en Sas maken
  een lied 114

Een extra uitnodiging 118

De voorstelling 12?

Dit is het stukje lied van 12(
  Kareltje

En dit is het stukje lied van 12?
  Sas

Een hoofd als een meloen

Kareltje en Sas zitten tegenover elkaar aan tafel.
Kareltje maakt een tekening van Sas.
En Sas maakt een tekening van Kareltje.
Ineens legt Kareltje zijn potlood neer.
'Klaar,' zegt hij.
'Ik ook,' zegt Sas.
Nieuwsgierig leggen ze hun tekeningen naast
elkaar.
'Ben ik dat?' vraagt Kareltje.
'Ik lijk wel een meloen.'
'Een meloen heeft toch geen
oren,' zegt Sas.
'Nee, maar ík heb niet zo'n
rond hoofd.'
'Wel,' zegt Sas.
Kareltje loopt naar de spiegel
in de gang.
Van voren is zijn hoofd wel
rond.
Maar van links niet.
En van rechts ook niet.
'Je hebt een beetje
gelijk.

Mijn hoofd is halfrond,' zegt hij.
'En wat vind je van mijn tekening?'
'Mooi,' zegt Sas, 'maar waarom heb ik groen
haar?'
'Het geel was op,' giechelt Kareltje.
'Het staat best goed.'
Sas giert het uit.
'Ik lijk wel een marsmannetje!
Kom mee.
Ik ga hem ophangen.'
Sas pakt haar tekening en loopt naar boven.
Ze plakt de tekening midden op de deur van haar
slaapkamer.
Met een potlood schrijft ze erop:
Dan zet ze een pijl naar het groene haar en

hiér woont sas.

schrijft:

geel -

Samen rennen ze de trap weer af.
Sabien is in de keuken.

'Mogen we de groene sleutel?' vraagt Kareltje.
'Ik ga thuis een tekening ophangen.'
'Mag ik eens kijken?' vraagt Sabien.
Kareltje houdt de tekening op zijn rug.
'Eerst zeggen: lijk ik op een meloen?'

'Niet helemaal,' grinnikt Sabien.

'Een meloen heeft geen oren.'

Kareltje houdt de tekening omhoog.

'En lijk ik hierop?'

'Even kijken, twee ogen, een neus, een mond en krullen.

Ja, je bent het precies,' lacht Sabien.

'Hier is de sleutel.

Zoek maar een mooi plekje!'

Een meloen met flaporen

Kareltje en Sas rennen met de tekening naar de andere kant van het steegje.

Met de groene sleutel opent Kareltje de deur.

'Waar ga je die hangen?' vraagt Sas.

'Nergens. Ik weet iets beters,' zegt Kareltje.

Hij pakt een fotolijstje van de kast.

Op de foto staat een jongen met krullen.

De jongen lacht.

Op de plaats van zijn voortanden zit een zwart gat.

'Dat is jouw schoolfoto,' zegt Sas.

'Ik lijk er niet meer op,' zegt Kareltje.

'En als ik jouw tekening in het lijstje stop, heb ik eindelijk weer tanden.'

'Mag dat wel?' vraagt Sas.

'Natuurlijk.

Het is juist een verrassing!'

Kareltje pakt het lijstje en legt het op zijn kop.

Voorzichtig maakt hij de achterkant open en haalt de foto eruit.

'De tekening past nooit.

Die is veel te groot,' zegt Sas.

Kareltje pakt een schaar.

'Wacht maar even,' zegt hij.

Voorzichtig knipt hij er een strook af.

En nog één.

En nog één.

Eindelijk past de tekening in het lijstje.

'Gelukt,' zegt hij trots.

'Kareltje Kluns!' roept Sas, 'je hebt de oren eraf geknipt!'

Ze schatert het uit.

Kareltje kijkt naar de tekening.

'Nee hè, nu lijk ik weer op een meloen,' zegt hij.

'Wacht even.'

Hij knipt de oren uit, pakt een potje lijm en plakt ze aan de zijkanten van het lijstje.

Ze zitten precies op de goede plek.

'Een meloen met flaporen!' giert Sas.

Ineens zwaait de achterdeur open en stapt opa naar binnen.

'Ik kom even kijken hoe het gaat,' zegt hij.

'Het gaat best goed,' zegt Kareltje.

Hij houdt het lijstje omhoog.

'Zie je wie dit is?'

'Dat is een meloen,' zegt opa.

'Maar die oren dan?'

Opa grinnikt.

'O, zijn dat oren?'

'Ja, flaporen!' roept Sas.

Kareltje springt op.

'Ik heb geen flaporen!

En ik ben ook geen meloen!' roept hij boos.

Opa's buik schudt van het lachen.

'Kereltje Kareltje toch, ik zie heus wel dat jij het bent.

Ik vind het een heel mooie tekening.

Geef mij de oude foto maar, dan zal ik die bewaren.'

Hij haalt een plastic tasje achter zijn rug vandaan en steekt zijn hand erin.

'Hier, een echte meloen.

Van Sabien gekregen, voor de dorst.'

Samen smullen ze van de meloen.

'Eigenlijk eet ik nu mijn eigen hoofd op,' zegt
Kareltje met volle mond.

'Weet je hoe dat heet?' vraagt Sas.

'Dat heet kannibaal.

Jij bent een kannibaal.'

Opa steekt zijn vinger in de lucht.

'Daar kun je goed op rijmen,' zegt hij.

Hij schraapt zijn keel en begint te zingen.

> 'We zingen allemaal
> over Kareltje Kannibaal
> Zijn oren zijn normaal
> en een meloen is kaal.'

Kareltje proest het uit.

'Waar slaat dat nou op?' vraagt hij.

'Nergens op,' zegt opa, 'maar het is wel een leuk
lied.

Hoor maar, ik ga het ook nog voor jullie spelen.'

Hij pakt zijn mondharmonica en begint vrolijk te
spelen.

Een reuzenviool

Kareltje en Sas lopen uit school naar huis.
Sabien staat in de tuin.
Ze zwaait met de groene sleutel.
'Er staat een verrassing in Kareltjes huis,' zegt ze
geheimzinnig.
'Ga maar gauw kijken!'
Kareltje en Sas rennen opgewonden naar Kareltjes
huis.
Midden in de kamer staat een enorm pak met
bruin papier.
Aan de bovenkant is het smal en aan de onderkant
is het breed.
Met dikke letters staat erop:

Voor Kareltje, voorzichtig

Nieuwsgierig lopen Kareltje en Sas eromheen.
'Het lijkt wel een reuzenfles cola,' zegt Kareltje.
'Of een ondersteboven-superlolly,' zegt Sas, 'of
een enorme pop in een trouwjurk.'
'Wat moet ik nou met een pop,' zegt Kareltje.
'Aan mij geven natuurlijk,' giechelt Sas.

Kareltje peutert het plakband los.
Voorzichtig trekt hij het papier naar beneden.
Er komt een steel te voorschijn met snaren
erop.
'Het is een gitaar!' roept Kareltje.
'Een viool!' roept Sas.
Eindelijk ligt al het papier op de grond.
'Wat een grote viool,' zegt Kareltje verbaasd.
Hij trekt aan een snaar en laat haar los.
Toingngng doet de reuzenviool.
Toing, toing, toing.
'Mag ik ook eens?' vraagt Sas.
Toing, toing.
'Toch is het geen viool,' zegt Kareltje.
'Een viool moet je optillen.
Dat gaat nooit met deze.'
Sas pakt een stok tussen het papier vandaan.
'Het is wel een viool.
Hier is de stok.'
Kareltje strijkt met de stok over de snaren.
De viool jankt het uit.
Iegiegiehie!
Sas slaat haar handen voor haar oren.
'Het lijkt wel een kat!' roept ze.

Ineens klinkt opa's stem door de kamer.
'Hoor ik daar soms Kereltje Kareltjes
cadeau?'
'Opa!' roept Kareltje.
Met een brede grijns stapt opa achter
het gordijn vandaan.
Kareltje springt op zijn nek.
'Pas op voor mijn botten,' kreunt opa.
'En? Hoe vind je het cadeau?'
'Mooi.
En groot.
Misschien een beetje té groot.'
'Ben je gek, dit is een contrabas, dat is
een reuzenviool.
Er bestaan zelfs nog grotere.
Deze contrabas is speciaal voor kinde-
ren.'
Sas schatert het uit.
'Een kontenbas!' giert ze.
'Je hoeft hem ook niet op te tillen,'
zegt opa.
'Je kunt er gewoon naast gaan staan.
Probeer maar.'
Kareltje pakt de stok.

'Nee, niet weer!' roept Sas met haar handen tegen haar oren.

Opa gaat achter Kareltje staan, legt zijn vingers op de snaren en schuift samen met Kareltje de stok heen en weer.

Ineens klinkt het als 'Vader Jacob'.

'Dat wil ik ook leren,' roept Kareltje.

'Dat dacht ik al,' zegt opa.

'Ik zal je iedere woensdagmiddag les geven.

En dan moet jij iedere dag oefenen.'

'Iedere dag vijf minuten?'

'Of zeven,' zegt opa.

Kareltje knikt.

'Waarom krijg ik hem eigenlijk?' vraagt hij.

'Ik heb hem op een rommelmarkt gekocht,' zegt opa.

'Maar oma Sjanet vond hem niet mooi.

Hij krijst als een kat, zegt ze.'

'Ik hou wel van katten,' zegt Kareltje.

'Mooi,' zegt opa.

'Dan krijg je nu de eerste les.'

De eerste les

Opa kijkt Kareltje streng aan.
'Ik ben de meester,' zegt hij.
'Jij moet precies doen wat ik zeg.
Let op.
Zó moet je de stok vasthouden.
En zó leg je je vingers op de snaren.
En zó ga je heen en weer.'
Kareltje doet precies wat opa zegt.
'Bijna goed,' zegt opa steeds.
'Bijna.
Bijna!'
'Ik kan het niet,' zucht Kareltje.
Opa krabt op zijn hoofd.
'Je hebt gelijk.
Je kunt er niks van.'
Ze schieten allebei in de lach.
'Ik kan er wél geluid mee maken,' zegt Kareltje.
'Dat is geen geluid, dat is herrie,' zegt Sas.
'Ik luister liever naar de radio.'
Ze zet de radio aan, pakt de koptelefoon en zet
die op haar hoofd.
Vrolijk begint ze met haar hoofd te schudden.

Links rechts, links rechts.

Dan begint ze nog te zingen ook.

'Stil!' roept Kareltje.

'Boem boem, paratata,' zingt Sas.

'Stíl!' roepen Kareltje en opa tegelijk.

Sas tilt de koptelefoon van haar oren.

'Zei je wat?'

'Je schreeuwt door mijn muziek heen,' zegt
Kareltje.

'Ik zing alleen maar,' zegt Sas, 'en jouw muziek is
geen muziek.

Op de radio, dáár is pas mooie muziek.'

'Ho even,' zegt opa.

Hij zwaait met de stok.

'Die mensen van de radio zijn ook een keer
begonnen.

En toen konden ze er ook niks van.

Toen klonk het ook nog niet als muziek.'

'Maar klonk het toen ook als kattengejank?' vraagt
Sas.

'Én als hondengehuil én als gillende keuken-
meidengegil,' zegt opa.

Sas haalt haar schouders op.

'En wat deden hun moeders toen?'

'Die gingen naar de radio luisteren,' zegt opa.
Hij pakt de koptelefoon en zet die weer op Sas
haar hoofd.
'Maar ze zongen niet mee!' roept hij hard.

'Goed dan!' roept Sas.

Vrolijk begint ze met haar voet te tikken.

Opa draait zich om naar Kareltje.

'Een contrabas is een moeilijk instrument,' zegt
hij.

'Maar als je goed oefent, komt er heus mooie
muziek uit.'

Kareltje tilt de stok op en begint weer te strijken.

De viool jankt het uit.

Iegiegiehie!

Opa duwt zijn handen tegen zijn oren.

'Prachtig!' roept hij.

'Ga door!'

Na een tijdje laat Kareltje de stok zakken.

'Mijn arm is moe,' puft hij.

Opa haalt zijn handen van zijn oren.

En Sas zet de koptelefoon af.

'Let maar op.

Over een paar weken kun je een lied spelen,' zegt
opa.

'Een lied van echte muziek.

Zoals op de radio.'

'Kan ik dan ook niet iets doen?' vraagt Sas.

Opa knikt.

'Jij bent de zangeres.

Jij gaat het lied zingen.

Wacht, ik heb een idee.

Hebben jullie misschien een leeg schrift?'

'Ik wel,' zegt Sas.

'Mooi,' zegt opa.

'Dan schrijven jullie daar iedere dag een paar rijmwoorden in.

Daarna maak je er zinnen mee en ineens heb je een lied.

Heel makkelijk.'

'Zoals bijvoorbeeld "kameel",' zegt Kareltje.

'Ik zit op een kameel, hij kijkt een beetje scheel.'

'Eh... hij is ook erg sloom, en hij loopt tegen een boom,' zegt Sas.

Opa grinnikt.

'Dat is wel goed,' zegt hij, 'maar het klopt niet.'

'Waarom niet?

Het rijmt toch?' vraagt Kareltje.

'Dat wel,' lacht opa, 'maar in een woestijn staan geen bomen!'

Kareltje vindt een zwerver

Kareltje en Sas lopen over het pleintje.
'Kijk daar onder de heg, een katje,' roept
Kareltje.
'Poes poes poes.'
Het katje loopt nieuwsgierig naar Kareltje toe.
Voorzichtig ruikt het aan zijn broek.
'Het is een puppy,' zegt Sas.
'Een puppy is een hond,' zegt Kareltje.
'Dan is het een kattenpuppy,' zegt Sas.
Kareltje gaat op zijn hurken zitten.
'Ik heb deze nog nooit gezien.'
'Misschien is hij verdwaald,' zegt Sas.
'Dat kan niet,' zegt Kareltje.
'Katten verdwalen nooit.
Die hebben instinct.
Dat betekent dat ze altijd de weg weten.
Net als een politieagent.'
Kareltje tilt het katje op en stopt het onder zijn
jas.
'Het is een zwerver.
Maar nu niet meer.
Ik ga voor hem zorgen.'

Met het katje onder Kareltjes jas lopen ze naar
Sabien.
'We willen naar mijn huis,' zegt Kareltje.
Sabien pakt de groene sleutel.
'Volgens mij zit er iets onder je jas,' zegt ze.
Sas knikt.
'Iets heel bijzonders.
Het is net een politieagent,' zegt ze.
'En het is een geheim,' zegt Kareltje vlug.
'Oeps, dan mag ik het zeker niet weten,' zegt
Sabien.
'Hier is de sleutel.
Tot straks.'
Buiten steekt het katje nieuwsgierig zijn kop uit
Kareltjes jas.
Kareltje houdt het stevig vast.
Pas in zijn huis laat hij het
katje los.
Kareltje en Sas gaan
op de grond zitten.
'Zullen we
hem Snuf
noemen?'
vraagt Sas.

'Nee joh, Snuf is een konijnennaam.'

'Hoezo?'

'Omdat een konijn snuft natuurlijk,' zegt Kareltje.

'Een kat snuft ook,' zegt Sas, 'kijk maar.'

Nieuwsgierig snuffelt het katje aan de grond.

'Ik noem hem Tarzan,' zegt Kareltje.

'Tarzan, dat is een waakhond!' giert Sas.

'Nou en?

Mijn Tarzan is een waakkat.'

Tarzan begint te mauwen en krabt aan de buiten-
deur.

'Tarzan, af!' zegt Kareltje streng.

'Misschien zoekt hij eten,' zegt Sas.

Kareltje loopt naar de koelkast en pakt een plakje
worst.

'Tarzan, hier. Worst.'

Tarzan ruikt aan de worst.

Dan gaat hij zitten en kijkt Kareltje aan.

'Mauw,' mauwt hij.

'Hij lust het niet.

Misschien wil hij liever
brood,' zegt Sas.

Kareltje pakt een snee
brood.

29

Tarzan lust het niet.

Kareltje pakt een stukje appel.

Een plak ontbijtkoek.

Hij probeert zelfs een klodder pindakaas.

Tarzan lust niks.

En hij blijft maar mauwen.

'Hij wil natuurlijk kattenvoer,' zegt Sas.

Ze kijken elkaar aan.

'Maar dat hebben we niet,' zeggen ze tegelijk.

Eten voor Tarzan

'Mauw, mauw, mauw,' klaagt Tarzan.
Kareltje wordt er gek van.
Hij bijt op zijn lip.
'Ik weet iemand die wél kattenvoer heeft,' zegt
hij.
'Wie dan?'
'Mevrouw Pruik.
Die heeft vijf katten.'
'Mevrouw Pruik?' roept Sas.
'Daar ga ik niet heen hoor!'
'Nee. Ik ook niet,' zegt Kareltje.
Hij staat op.
'Maar het moet toch, anders gaat Tarzan dood van
de honger.'
Hij trekt Sas overeind en duwt haar de deur uit.
'Hou vol, Tarzan, we gaan eten halen.
Tot zo!
Af!'
Langzaam lopen ze naar de hoek van de straat.
'Moet het echt?' vraagt Sas.
Kareltje knikt.
'We doen gewoon heel aardig.

En we kijken niet bang.'
Even later staan ze hand in hand voor de deur van
mevrouw Pruik.
Kareltje haalt diep adem.
Dan steekt hij zijn hand omhoog en drukt op de
bel.
Tringg!

De deur vliegt meteen open.

Het lijkt wel of mevrouw Pruik op hen stond te wachten.

Haar zwarte ogen kijken boos naar beneden.

'Ja?' zegt ze onvriendelijk.

Kareltje slikt.

Het gezicht van mevrouw Pruik is heel dichtbij.

Die grote neusgaten en dat gekke haar, ze lijkt wel een heks.

'Dag mevrouw.

Mogen wij wat kattenvoer lenen, alstublieft?' vraagt Kareltje zo netjes mogelijk.

'Waar heb je dat voor nodig?' snerpt mevrouw Pruik.

'Voor Tarzan,' zegt Kareltje.

Mevrouw Pruik snuift.

'Ik geef niks aan honden,' snauwt ze.

'Maar Tarzan is een kat.

Het voer is op en hij heeft honger.'

Mevrouw Pruik trekt haar neus op.

De neusgaten worden nog groter.

Dan draait ze zich plotseling om.

Sas knijpt angstig hard in Kareltjes hand.

'Volgens mij gaat ze het halen,' fluistert Kareltje.

'Of ze haalt een geweer,' zegt
Sas.
'Een grote, die kan schieten.'
Mevrouw Pruik komt terug
met een plastic zakje met
brokjes.
'Hier. Aan de kat geven, hè,'
zegt ze met een zuur
gezicht.
Kareltje knikt heel hard.
'Heel erg dank u wel.
Van Tarzan,' zegt hij.
Met een klap slaat mevrouw
Pruik de deur dicht.
'Pfffff,' doet Sas.

Tarzan is Soes

Opgelucht rennen Kareltje en Sas terug naar
Kareltjes huis.
Tarzan mauwt als een huilende baby.
Vlug doet Kareltje de deur open.
'Opzij, Tarzan.
Lekkere brokjes.
Helemaal alleen voor jou,' zegt hij.
Tarzan kijkt niet eens.
Hij probeert tussen Kareltjes benen door naar
buiten te glippen.
Kareltje duikt naar beneden en kan hem nog net
grijpen.
'Hier blijven!
Au!'
Languit ploft hij in de gang.
Het zakje scheurt open en de brokjes rollen over
de vloer.
En Tarzan vliegt de trap op.
'Kareltje Kluns,' giechelt Sas.
'Tarzan Kluns!' roept Kareltje.
Sas veegt het voer met haar handen bij elkaar en
gooit het in een bakje.

'Kom Tarzan, poes poes poes.'

Langzaam komt Tarzan de trap weer af.

Hij loopt naar het bakje en ruikt eraan.

Dan draait hij zich om en loopt weg.

'Hij lust het weer niet,' zegt Kareltje teleurgesteld.

Sas ruikt aan het voer.

'Het stinkt.

Ik zou het ook niet lusten.

O kijk, hij plast op de mat!'

Kareltje springt overeind.

Snel trekt hij Tarzan weg, maar het is al te laat.

Midden op de mat zit een donkere vlek.

'Stomme Tarzan,' roept Kareltje, 'zo mag ik je
nooit houden!'

Sas staat ook op.

'We moeten het schoonmaken,' zegt ze.

Kareltje rent naar de keuken en maakt een grote
emmer met sop.

Even later zit hij op zijn knieën op de mat.

Hij boent.

En boent.

Hij boent tot zijn hoofd er rood van wordt.

De donkere plek wordt alleen maar groter.

'Het werkt niet.

Ik ruik nog steeds kattenpies,' zegt Sas.

'Wacht maar,' puft Kareltje.

Hij rent naar boven en komt terug met een flesje parfum.

Hij spuit de mat helemaal onder.

Daarna spuit hij de lucht helemaal vol.

Dan haalt hij de föhn uit de badkamer en begint
te föhnen.
Sas begint te hoesten.
Ze knijpt haar neus dicht.
Er komen tranen uit haar ogen.
'Help, ik stik, frisse lucht, gauw!'
Proestend gooit ze de voordeur wijd open.
'Nee, niet doen!' roept Kareltje.

Maar Tarzan heeft het al gezien.

In een flits rent hij ervandoor.

'Stop! Tarzan! Hier blijven!' schreeuwt Kareltje.

Hij laat het parfumflesje vallen en rent achter
Tarzan aan.

'Tarzan!'

Samen met Sas rent hij het pleintje op.

'Tarzááán!

Hij is weg,' zegt Kareltje boos.

'Dat is jouw schuld.'

'Niet, het komt door die parfum,' zegt Sas.

'Ik viel bijna flauw.'

Ineens steken er twee donkerbruine staartjes
boven de heg uit.

'Poes poes poes!' roept een meisjesstem.

Sas loopt naar de heg.

'Ben jij je poes kwijt?' vraagt ze.

Het meisje knikt verdrietig.

'Wij ook,' zegt Kareltje.

'Die van mij heet Soes,' zegt het meisje.

'Die van ons heet Tarzan,' zegt Kareltje.

'Soes is zwart met wit,' zegt het meisje.

'Tarzan is wit met zwart,' zegt Kareltje.

'Mauw, mauw,' roept de heg.

'Daar is hij!' roepen Kareltje en het meisje tegelijk.

Het meisje rent naar Tarzan en pakt hem op.

'Soesie-poesie-soesie-poesie,' fluistert ze blij.

Tarzan begint meteen te snorren.

Sas trekt Kareltje aan zijn mouw.

'Het was geen zwerver,' fluistert ze, 'het was haar
Soes.'

'Het was ook mijn Tarzan,' mokt Kareltje.

Het meisje tilt Tarzan nog iets verder op.

'Zeg maar dag,' zegt ze.

'Mauw,' zegt TarzanSoes.

'Ja, dag,' bromt Kareltje.

Samen met Sas loopt hij terug naar huis.

'Soes de poes.

Dat rijmt,' zegt Sas.

'Nou en,' zegt Kareltje.

'Dat schrijven we op in ons rijmschrift.

Voor ons lied.'

'Een lied over een poes?'

'Waarom niet?' zegt Sas.

'Soes is een poes en een snoes.'

'En ik lust graag appelmoes,' zegt Kareltje.

'Leuk hoor.'

Vliegeren

Het waait.

'Kom mee, we gaan vliegeren!' zegt Kareltje tegen Sas.

Samen halen ze de vlieger van zolder.

Hij is groen met rood en hij heeft een lange staart van geel plastic.

Sabien kijkt of het touw goed vastzit.

'En goed vasthouden hè, anders vliegt hij ervandoor,' zegt ze.

'Tot straks!'

Met de vlieger lopen ze naar het veld.

'Waarom heeft een vlieger eigenlijk een staart?' vraagt Sas.

'Misschien is hij een meisje,' grinnikt Kareltje.

Op het veld geeft Kareltje de vlieger aan Sas.

'Jij blijft hier staan,' zegt hij.

Terwijl hij het touw afrolt loopt hij verder.

Midden op het veld draait hij zich om.

Sas steekt de vlieger omhoog.

'Als ik zeg "los" moet je loslaten!' schreeuwt Kareltje.

'Wat zeg je?'

'Je moet lóslaten!' gilt Kareltje.

Sas laat de vlieger los.

Meteen valt hij op de grond.

'Jij moet rennen!' schreeuwt ze.

Kareltje begint te rennen.

De vlieger schuift over het gras achter hem aan.

'Stop!

Stóp!' roept Sas.

'Het moet tegelijk!' roepen ze allebei tegelijk.

Ze doen het nog een keer.

En nog een keer.

De vierde keer gaat de vlieger omhoog.

Kareltje rent en rent.

'Harder!' roept Sas.

Kareltje kijkt om.

De vlieger vliegt al een heel stuk boven zijn hoofd.

De gele staart raakt de grond niet eens meer.

'Hij doet het!' roept hij.

'Kijk uit!' roept Sas.

Bhaf!

Met een klap loopt Kareltje tegen een bankje.

'Au!' roept hij.

'Au! Au! Au!'

Kreunend laat hij het touw los.
De vlieger zweeft nog een beetje rond en duikt
dan naar beneden.
Sas rent op Kareltje af.
'Doet het zeer?' hijgt ze.

'Ja,' kreunt Kareltje. 'Ik heb een blauwe plek.'

'Het is een rode plek,' zegt Sas.

'Nou en?

Die doet net zo zeer,' zegt Kareltje.

Vanaf de andere kant wandelt opa het veld op.

Kareltje zwaait.

'Opa! Help!' roept hij.

Vlug loopt opa naar hem toe.

'Kereltje Kareltje, wat is er gebeurd?' vraagt hij.

'Ik ben tegen het bankje aan gelopen.

Het kwam door de vlieger.'

Opa kijkt naar Kareltjes knie.

'Buig hem eens,' zegt hij.

Kareltje buigt zijn knie.

'Geef die bank eens een schop,' zegt opa.

Kareltje geeft de bank een schop.

'Au, mijn teen!' roept hij.

Opa kijkt geschrokken.

'Ik dacht het al, je hebt een hersenschudding,' zegt hij ongerust.

'Een hersenschudding?

Ik heb een zeer been!' roept Kareltje.

'Dat zal wel, maar je bent ook in de war,' zegt opa.

'Wie schopt er nou een bank!'

Kareltje kijkt opa verbaasd aan.

Opa houdt zijn hand voor zijn mond.

Zijn ogen lachen.

En zijn buik schudt.

Ineens moet Kareltje ook lachen.

'Het gaat wel weer,' zegt hij.

'Gelukkig,' grinnikt opa.

'Dan zal ik jullie nu leren vliegeren.'

'Ik kan het al, hoor,' zegt Kareltje.

'Je moet loslaten en rennen.

Zo hard als je kunt.'

'Je vergeet het belangrijkste,' zegt opa.

'Je moet loslaten, rennen én uitkijken.

Vooral voor loslopende bankjes.'

Even later staat de vlieger hoog in de lucht.

Zijn gele staart wappert vrolijk in de wind.

Kareltje en Sas en opa zitten op de grond.

'Hebben jullie al iets in je rijmschrift geschreven?' vraagt opa.

'Ja, gisteren,' zegt Sas.

'Over Soes de poes.

Hij heette Tarzan en het rijmpje was "Soes appelmoes".'

'Dat wordt een gek lied,' grinnikt opa.

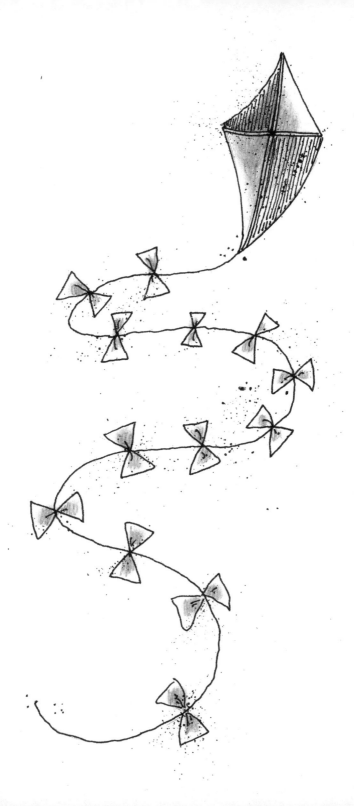

Hij trekt een rolletje snoep uit zijn zak.

'Hier,' zegt hij.

'Leg maar een snoepje op je zere been.'

'Dat hoeft niet,' zegt Kareltje.

'Ik eet hem wel op.'

Kareltje schilt een aardappel

Sas en Kareltje zitten in de keuken van Kareltjes huis.

Ze eten een koekje.

'Ik weet wat jullie vanavond eten,' zegt Sas met volle mond.

'Wat dan?'

'Rijst.

Kijk maar op het aanrecht.

De rijst staat al klaar.'

'Ik wil liever aardappels,' zegt Kareltje.

'Dat is dan pech,' zegt Sas.

'Nee hoor,' zegt Kareltje.

Hij staat op, zet het pak rijst in de kast en haalt een zak aardappels uit de schuur.

'Nu staan de aardappels klaar.

Dus nu eten we vanavond aardappels,' zegt hij.

Sas schudt haar hoofd.

'Ik denk het niet.

Je moeder ruilt het vast weer om.'

'Ja, waarschijnlijk wel,' zegt Kareltje sip.

'Wacht, ik weet wat beters.

Ik ga de aardappels vast schillen.

Dan moeten we die vandaag wel eten.'

Hij legt een oude krant op tafel en trekt de la open.

Voorzichtig pakt hij een klein mesje met een wit handvat.

'Kijk uit hoor, dat is scherp,' zegt Sas.

'Dat moet ook, anders schilt hij niet goed.'

Kareltje pakt met zijn andere hand een aardappel en steekt het mes erin.

'Stóp!' roept Sas keihard.

Van schrik laat Kareltje de aardappel op de grond vallen.

'Wat is er?'

'Niks.

Maar we moeten eerst pleisters klaarleggen,' zegt Sas.

'Pleisters?' vraagt Kareltje verbaasd.

'Ja, én verband.

Voor als je in je vingers snijdt.'

'Doe niet zo gek, mama legt nooit pleisters klaar.'

'Wij wel,' zegt Sas, 'pak ze nou maar.'

Met een zucht pakt Kareltje een grijze doos met een rood kruis erop.

Hij trekt aan de deksel.

Hij trekt nog harder.

'Die doos wil niet open,' hijgt hij.

Ineens rolt er van alles over de tafel.

Rolletjes verband, een schaartje, pleisters en nog veel meer.

'Dat is wel genoeg,' zegt Sas.

'Nu mag je beginnen en ik houd de wacht.'

Kareltje pakt een aardappel en snijdt er een stukje bruine schil af.

En nog een stukje.

'Zie je wel dat ik het kan?' zegt hij trots.

Hij schilt en hij schilt.

Soms blijft het mes steken, soms vliegt het ineens door de lucht.

De aardappel wordt steeds kleiner.

Er zit bijna geen schil meer op.

'Au!' roept Kareltje ineens.

Hij grijpt naar zijn duim.

'Bloed!

Ik bloed!'

Vlug draait Sas de kraan open.

'Snel, stop hem eronder!'

'O jee, o jee,' jammert Kareltje.

Voorzichtig droogt Sas de duim af.

Midden over de duim loopt een dun rood streepje.
'Ik heb een snee!' roept Kareltje.
'Het is maar een kleintje, hoor,' zegt Sas.
Ze pakt het flesje jodium.
'Geen jodium! Dat prikt!' roept Kareltje.

'Stil nou eens.

Doe je ogen dicht,' zegt Sas streng.

Als Kareltje zijn ogen dichtknijpt smeert ze zijn
duim helemaal onder de jodium.

'Kijk nou, ik bloed als een rund,' rilt Kareltje.

Sas knipt een pleister en plakt die over de rode
duim.

Dan stopt ze alle spullen weer in de doos.

Ze spoelt de aardappel af en doet hem in een
pannetje.

'Hè, hè,' zucht ze.

Kareltje zit met zijn duim omhoog aan tafel.

'Ik denk dat jullie nu toch rijst eten,' zegt Sas.

'Eén aardappel is veel te weinig.'

'Misschien scheelt het
toch,' zegt Kareltje.

'Wat scheelt het dan?'
vraagt Sas.

Kareltje zucht.

'Gewoon.

Een beetje.'

Het pieperlied

Plotseling klopt er iemand op het raam.

'Joehoe! Iemand thuis?' roept opa.

Even later staat hij in de keuken.

'Hoe is het met je contrabas?' vraagt hij.

Kareltje steekt zijn duim omhoog.

'Met de kontenbas is het goed.

Maar ik heb een snee.

Ik bloed jodium.'

'Wat is er dan gebeurd?' vraagt opa.

'Ik heb een aardappel geschild,' zegt Kareltje.

'Met een mes?' vraagt opa.

Kareltje knikt.

Opa trekt zijn wenkbrauwen omhoog.

'Zo zo,' zegt hij.

'Ik wilde alleen maar helpen,' zegt Kareltje snel.

'En anders eten we vanavond rijst.'

Opa kijkt in de pan.

'Nou nou, dat wordt smullen vanavond,' zegt hij.

Hij gaat aan tafel zitten, pakt de zak en schilt een pannetje vol.

'Kereltje Kareltje, kijk me eens aan.'

Kareltje kijkt naar opa's strenge gezicht.

'Nu moet je me wat beloven.'

'Ik beloof het,' zegt Kareltje vlug.

'Wat beloof je dan?'

'Van dat mes, dat het niet mag.'

'Precies,' zegt opa, 'jij mag dit nóóit meer doen.

En als jij dat belooft zal ik het niet verder vertellen.

Dus?'

'Ik beloof het echt,' zegt Kareltje.

Opa staat op.

'Dat is dan afgesproken.

Het is wel jammer, want ik kwam juist een beetje oefenen met de contrabas.

En dat kan niet met zo'n gewonde duim.'

Hij trekt zijn mondharmonica uit zijn zak.

'Speel dan maar mondharmonica.'

'Kan ik dat dan?'

'Welja, je hoeft alleen maar te blazen en te zuigen.

Daar heb je geen duim voor nodig.'

Kareltje houdt de mondharmonica tegen zijn mond en blaast en zuigt.

'Mooi,' zegt opa. 'Dan doe ik de bas.'

'En ik?' vraagt Sas.

'Jij gaat het pieperlied zingen,' zegt opa.
'Het gaat over een aardappel, want een pieper is
een aardappel.
Het gaat zo:

> 'Toen Kareltje ging schillen
> Begon hij ineens te gillen
> O jee, o jee, o jee,
> in mijn duimpje zit een snee!
> En daarna, bij elke pieper
> werd het sneetje dieper
> en aan het eind voor straf
> was zijn hele duim eraf.'

Terwijl opa het uitschatert geeft Kareltje hem een
duw.
'Het lied klopt niet,' zegt hij.
'Ik heb niet gegild en mijn duim zit er ook nog
aan.'
'Alleen maar omdat ik pleisters heb klaargelegd,'
zegt Sas.
'Dat was heel slim,' zegt opa.
'En dan nu: muziek!'

Vogelpoep

Kareltje en Sas lopen op straat.
Als ze bij de hoek komen blijven ze staan.
'Mevrouw Pruik is buiten,' fluistert Sas.
Vlug kruipen ze achter de heg.
Mevrouw Pruik staat op een trapje.
Ze zeemt haar raam.
Iedere keer als ze haar arm omhoog steekt, gaat
haar rok ook omhoog.
'Wat een dunne benen,' fluistert Sas.
'Ze lijkt wel een struisvogel,' giechelt Kareltje.
Flatsj!
Plotseling spettert er een witbruine kledder op de
ruit.
Mevrouw Pruik wankelt.
Ze stapt op de grond en kijkt naar de lucht.
Kareltje en Sas proesten het uit.
Met een ruk draait mevrouw Pruik zich om.
'Wie lacht daar?' snauwt ze.
Meteen zijn Kareltje en Sas doodstil.
Met grote passen loopt mevrouw Pruik naar de
heg.
'Ik zie jullie wel,' snerpt ze.

'Jullie doerakken!
Jullie gooien modder tegen mijn schone ruit.'
Met vlammende ogen loopt ze om de heg heen.
'Wegwezen!' roept Kareltje.
Hij krabbelt overeind en zet het op een lopen.
Maar Sas is niet snel genoeg.
Mevrouw Pruik heeft haar arm te pakken en laat
niet meer los.
'Au!' roept Sas.
Kareltje kijkt om.
Meteen blijft hij staan.
'Lelijk naar ellendig kind!
Om met modder te gooien naar een oude
vrouw!' sist mevrouw Pruik.
Bij elk woord schudt haar pruik heen en weer.
Haar neusgaten zijn zo groot als schoteltjes.
'Het is geen modder,' piept Sas.
'Wat is het dan? Vertel op!'
'Het is vogelpoep,' roept Kareltje.
'Vogelpoep!
Gooien jullie vogelpoep?' briest mevrouw Pruik.
'Wij niet, dat deed een vogel. Zo'n grote zwarte.
Kijk daar op het dak.'
'Daar trap ik niet in!' snuift mevrouw Pruik.

Ze trekt Sas mee.

'Jij gaat voor straf mijn ruit schoonmaken.'

Ineens wordt Kareltje heel boos.

'Laat haar los!' roept hij. 'Het was vogelpoep, van een vogel! Ruik maar!'

'Houd je brutale mond!' roept mevrouw Pruik.

'Het was een vogel!' schreeuwt Kareltje.

'Niet!' schreeuwt mevrouw Pruik.

Opa komt rustig aanwandelen.

'Wat een herrie allemaal.

Wat is er aan de hand?' vraagt hij.

'Er zit vogelpoep op de ruit, maar zíj zegt dat wij modder hebben gegooid.'

'Dat is ook zo,' snauwt mevrouw Pruik.

'Niet, het is vogelpoep!'

'Wel!'

'Niet!'

'Ho even,' zegt opa.

Hij loopt naar het raam en ruikt.

Hij trekt een frons.

Hij snuift.

En hij ruikt nog eens.

Dan draait hij zich om.

'Geen twijfel mogelijk,' zegt hij.

'Het is vogelpoep, ik denk van een kraai.

Ik zou het maar snel schoonmaken, want als

kraaienpoep droog is, gaat het nergens meer

vanaf.'

Mevrouw Pruiks mond valt open.

'Kom mee, jongens,' zegt opa.

'Dag mevrouw.'

Met zijn drieën lopen ze weg.

In de keuken van Sabien giert opa het uit.

'Zag je haar gezicht?' hikt hij.

'Ik schrok me dood,' zegt Sas.

'Het was écht vogelpoep, hoor!' zegt Kareltje.

'Natuurlijk,' zegt opa.

'En vogelpoep kun je niet gooien, dat is veel te

nat.

Hee, ik verzin ineens weer een rijmpje:

> Wat is toch die natte troep,
> Is het soms een kledder soep?
> Nee, het is verse...'

'Vogelpoep!' roepen Kareltje en Sas.

Met zijn drieën schateren ze het uit.

Dat is schrikken

Sas zit op de wc.
Kareltje sluipt op zijn tenen de trap af.
Op zijn hoofd zit een heksenmasker met een
puntneus en grijze haren.
Stilletjes gaat hij achter de wc-deur staan.
Als de deur opengaat roept hij keihard:
'Boe!'
Meteen valt het masker op de grond.
Sas giert het uit.
'Heks Kluns, je verliest je gezicht,' roept ze.
Kareltje pakt het masker.
'Het gaatje is stuk, van het touwtje,' moppert hij.
'Wacht even.'
Met een schaar prikt hij een nieuw gaatje in het
masker.
Voorzichtig knoopt hij het touwtje eraan vast.
'Nee hè, weer stuk,' zegt hij.
'Gooi dan maar weg,' zegt Sas, 'zo heb je er niks
meer aan.'
'Nee, ik heb een veel beter idee,' zegt Kareltje.
Hij pakt een pot met lijm en smeert zijn hele
voorhoofd onder.

'Getsiederrie!' roept Sas.
'Het is alleen maar om te plakken,' zegt Kareltje.
'Het is waterlijm, van tien seconden.'
'Kan het daarna nog los?' vraagt Sas.

'Jawel, met water.'

Kareltje duwt het masker stevig tegen zijn voorhoofd en begint te tellen.

'Eén, twee, drie, vier, vijf, zes, zeven, acht, negen, negen-en-een-half, tien!'

Hij bukt.

Hij schudt met zijn hoofd.

'Boe, boe, boe!'

Het masker blijft zitten waar het zit.

'Gelukt,' zegt Kareltje.

'Kom mee, we gaan opa laten schrikken.'

Sas trekt vlug het laken van Kareltjes bed en gooit het over haar hoofd.

'Dan ben ik een spook,' fluistert ze.

Achter elkaar sluipen ze de trap af.

De kamerdeur staat op een kier.

Opa staat bij de contrabas en tokkelt op de snaren.

'Pom, pomperom, een hamster is niet dom,' zingt hij.

Plotseling gooit Kareltje de deur open.

'Boe!' roept hij.

'Joehoehoe!' gilt Sas.

Opa kijkt verbaasd op.

'Kijk uit! Wij zijn monsters,' roept Kareltje.

'Ja, nu zie ik het,' roept opa.

'Alle griezels!

Ik schrik me een hoedje!'

Hij zakt door zijn knieën en kruipt achter de bas.

Joelend kruipen Kareltje en Sas achter hem aan.

'Help! Help!' roept opa.

'Boe! Joehoe!' schreeuwen Kareltje en Sas.

Eindelijk staat opa op.

'Hè, hè. Even bijkomen,' zegt hij.

Hij gaat op een stoel zitten en wrijft over zijn hoofd.

'Je schrok niet echt, hè opa?' vraagt Kareltje.

'Eigenlijk niet,' zegt opa.

'Vond je ons dan niet eng?'

'Zeker wel, heel eng,' zegt opa, 'maar als je oud bent, schrik je niet zo gauw meer.'

'Nooit meer?' vraagt Kareltje.

Opa lacht.

'Nou ja, alleen nog van jezelf, in de spiegel.'

Kareltje wordt punk

Opa staat op.
Fluitend schenkt hij drie grote glazen limonade
in.
'We gaan iets drinken.
Tegen de schrik.'
'Dan moet ik even mijn hoofd afdoen,' zegt
Kareltje.
Hij trekt aan het masker.
'Au.
Het zit vast.'
'Door de lijm, natuurlijk,' zegt Sas.
'Gelukkig is het waterlijm,' zegt Kareltje.
Hij maakt een punt van de handdoek nat en wrijft
onder het masker.
'Gaat het niet?' vraagt opa.
'Heus wel.
Wacht even.'
Kareltje gaat op een krukje staan en stopt zijn hele
hoofd onder de kraan.
Druipend staat hij in de keuken.
Het masker bungelt heen en weer voor zijn
gezicht.

Opa giert het uit.

'Je hoofd zit los!' schatert hij.

'Houd op met lachen!' roept Kareltje.

'Dat ding moet af!

Het zit aan mijn haar.'

Zo hard als hij durft, trekt hij aan het masker.

'Au!'

'Zal ik eens trekken?' vraagt Sas.

'Nee!' roept Kareltje. 'Dat doet zeer!'

Opa pakt een schaar.

'Ik denk dat er maar één ding op zit,' zegt hij.

'Sta stil.'

Kareltje houdt zijn hoofd stil.

Voorzichtig begint opa te knippen.

Eerst de linkerkant.

En dan de rechterkant.

Eindelijk is het masker los.

'Klaar,' zegt opa.

'Operatie geslaagd.'

Kareltje kijkt geschrokken naar de plukken haar op het masker.

'Mijn haar!' roept hij.

Opa's buik schudt van het lachen.

'Kereltje Kareltje, je lijkt wel punk,' hikt hij.

'Wat is punk?'

'Ga maar kijken,' zegt opa.

Kareltje rent naar de spiegel.

Boven zijn voorhoofd staan korte en lange plukken haar recht overeind.

Hij is net een struikrover.

'Ik ben punk,' roept hij.

'Punk is hartstikke stoer.'

Sas kijkt jaloers naar de scheve plukken.

'Ik wil ook punk zijn,' zegt ze.

'Mag ik de schaar?'

'Ho ho, ik weet niet of Sabien dat wel goed vindt,' zegt opa.

'Het is toch míjn haar?' zegt Sas.

'Maar het is míjn schaar,' zegt opa.

'Hee, dat rijmt.

Zonder schaar

had iedereen lang haar.'

Sas trekt Kareltje mee.

'Kom, ik ga het gewoon vragen.'

'Stop!' zegt opa.

Hij wijst naar de natte vloer.

'Wie maakt dat droog?'

Kareltje kijkt zo lief als hij kan naar opa.

'Dat werkt niet hoor,' zegt opa.

Kareltje zet zijn handen in zijn zij en kijkt zo boos als hij kan.

Opa doet of hij schrikt.

'Oeps, zo ben je nog enger dan ikzelf in de spiegel.

Nou, vooruit, gaan jullie maar naar Sabien, dan ruim ik dit wel op.'

Superpunk

Kareltje en Sas rennen naar de andere kant van het steegje.

'Hoi mam,' hijgt Sas, 'mag ik punk worden?'

'Punk?

Hoe kom je daar nu bij?

En wat is met Kareltje gebeurd?'

'Niks.

Hij had lijm in zijn haren en toen heeft opa die weggeknipt.

Nu heeft hij scheve haren en dat is punk.

Ik wil ook punk.'

Sabien schiet in de lach.

'Ik zal jullie eens wat laten zien,' zegt ze.

Ze pakt een fotoboek uit de kast en begint te bladeren.

'Hier, dit is oom Jos,' wijst ze.

'Oom Jos was vroeger punk.'

Kareltje en Sas kijken met open mond naar de foto.

Op een brommer zit een jongen.

Zijn haar is groen met rood en het staat recht-overeind.

Zijn kleren zijn zwart en er zitten ijzeren
kettingen aan, met grote scherpe punten.
En zijn schoenen lijken wel tien maten te groot.
'Hij is wel heel erg punk,' zegt Kareltje.
Sabien knikt.
'Hij was zó punk dat iedereen bang voor hem
was.
Maar dat was niet nodig.
Hij zag er alleen maar eng uit, hij is juist heel
aardig.'
Kareltje staat op.
'Ik wil ook meer punk zijn,' zegt hij.
'En ik ook,' zegt Sas.
Sabien lacht.
'Kijk maar boven in de verkleedkist.
Daar ligt vast wel iets punkerigs.'
Joelend rennen Kareltje en Sas de trap op.
In de kist zit genoeg.
Een zwarte jas, twee rafelige broeken en een
zwarte cape.
En een grijze riem met een grote gesp eraan.
En twee enorme laarzen met rode veters.
Sabien komt boven met een handvol veiligheids-
spelden.

Die speldt ze overal door de kleren.

'Mag ik nu nog punkhaar?' vraagt Sas.

'Je mag het niet afknippen,' zegt Sabien.

'Maar ik heb iets gevonden.'

Ze houdt een spuitbus omhoog.

'Oranje haarverf, nog van carnaval.'

Ze spuit het haar van Sas helemaal oranje.

Dan zet ze een paar grote zwarte kringen om
Kareltjes ogen en tekent donkere wenkbrauwen
bij Sas.

'Zijn we gelukt?' vragen Kareltje en Sas.

Sabien knikt.

'Jullie zijn superpunk,' zegt ze.

Kareltje en Sas rennen naar de spiegel.

Ze zien er doodeng uit.

'Kom mee, we gaan opa weer laten schrikken,'
roept Kareltje.

Een bijzondere wandeling

Opa zit voor de televisie.
Hij speelt op zijn mondharmonica.
Met een sprong staat Kareltje in de kamer.
'Taratatataaaa!' roept hij.
Van schrik laat opa de mondharmonica vallen.
'Wat is er met jou gebeurd?' vraagt hij.
'Ik ben helemaal punk geworden,' zegt Kareltje.
'Niet alleen mijn haren, maar ook mijn kleren.
Alles.'
'Tjonge jonge,' zegt opa, 'ik schrik me een hoed-
je.'
'Boe!' roept Sas, terwijl ze vanachter de deur te
voorschijn springt.
'Help!
Ik schrik me twee hoedjes!' roept opa.
Kareltje en Sas gieren het uit.
'Jullie zijn doodeng,' zegt opa.
'Ik zou er bang van worden.'
'Dat hoeft niet bij punk,' roept Kareltje.
'Wij zien er wel eng uit, maar wij zijn heel
aardig.
Net als oom Jos.'

'Wie is oom Jos?' vraagt opa.
'Dat is een broer van mama,' zegt Sas.
'Hij was vroeger nog punker dan wij.
Met kettingen en punten aan zijn schoenen.
En met gekleurde haren.'
Opa wrijft over zijn hoofd.
'Gekleurde haren, toe maar,' zegt hij.
'Maar daar zie je nu niks meer van, hoor,' zegt Sas.
'Nu is hij een gewone oom, met een gewone
broek en een hemd.
En zijn haar is bruin.
En nog plat ook.'
Opa zucht opgelucht.
'Gelukkig.
Dus punk duurt niet
je hele leven.'
Hij pakt
zijn mond-
harmonica
van de grond
en stopt hem in
zijn zak.
'Zullen we een
stukje buiten

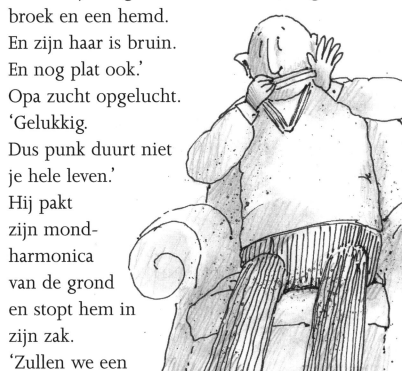

lopen?' vraagt Kareltje.

'Dan kan iedereen ons zien.'

'Ja, zullen we langs mevrouw Pruik lopen!' roept Sas.

'Nee joh,' zegt opa, 'dat kan toch niet.'

Dan begint hij te lachen.

'Ik vergis me.

Dat kan best en ik ga mee!

Hebben jullie misschien nog een beetje punk voor mij?'

'Natuurlijk!'

Joelend rennen Kareltje en Sas weer naar de verkleedkist van Sabien.

Even later lopen ze met zijn drieën over straat.

Opa heeft zijn broekspijpen ongelijk opgerold.

Hij draagt een leren jack met een scheur erin, en op zijn kale hoofd heeft hij zwarte strepen getekend.

Ze lopen wel vijf keer langs het huis van mevrouw Pruik.

Ze lopen wijdbeens en met grote stappen.

En opa stampt af en toe hard op de grond.

'Zou ze ons hebben gezien?' fluistert Sas.

'Zeker weten,' zegt opa.

'Hoe weet je dat zeker?'
vraagt
Kareltje.
Opa staat stil.
'Luister.
We draaien ons
in één keer om,'
zegt hij.
'Wedden dat ze
achter het raam staat?
Een, twee, drie!'
Tegelijk draaien ze
zich om.
Het gordijn van
mevrouw Pruik is opzij-
geschoven.
Mevrouw Pruik staat achter
het raam.
Haar ogen staan wijdopen.
Ze staart naar Kareltje en Sas.
En naar opa.
Kareltje en Sas staren terug.
Opa steekt zijn arm op.
Hij zwaait.

De ogen van mevrouw Pruik worden nog groter.

Met een ruk gaat het gordijn dicht.

Opa schatert het uit.

'Zie je wel,' giert hij.

'Maar zo is het genoeg geweest.

Kom mee, we gaan contrabas spelen.'

'Ik heb vandaag al gespeeld,' zegt Kareltje.

'Al acht minuten.'

'Alle griezels,' zegt opa.

'Dat is wel één minuut te lang!'

Flessen omgooien

Kareltje en Sas lopen op straat.
Ze hebben een bal en ieder draagt een fles met
water.
Ze gaan flessen omgooien.
Sas moet de fles van Kareltje omgooien.
En Kareltje die van Sas.
De fles die het eerst leeg is, heeft verloren.
'Jij staat daar,' zegt Kareltje, 'dan ga ik wel voor
het huis van mevrouw Pruik.'
Hij zet de fles op de grond en kijkt naar haar
raam.
Het gordijn beweegt.
Ze zit daarachter, Kareltje weet het zeker.
Páts!
Rinkelend valt zijn fles om.
Vlug zet Kareltje de fles overeind, pakt de bal en
gooit die zo hard mogelijk terug.
Raak!
Daar gaat de fles van Sas.
En páts, daar gaat zíjn fles weer.
En de bal ketst ervandoor!
Met een sprong duikt Kareltje erbovenop.

Joelend rolt hij over straat.

Ineens schrikt hij zich een hoedje.

Naast zijn hoofd staan twee hoge hakken.

En daar vlak boven ziet hij een boodschappentas.

Als Kareltje omhoogkijkt, kijkt hij recht in de neusgaten van mevrouw Pruik.

'Denk erom,' zegt ze, 'als jullie mijn katten nat-gooien, zwaait er wat.

En kijk uit met die bal.

Als die bal in mijn tuin komt, zwaait er ook wat.'

'Wat zwaait er dan?' vraagt Kareltje.

'Dat zul je nog wel zien!'

Met grote passen wandelt ze weg.

Sas rent naar Kareltje.

'Wat zei ze?'

'Ze zei niks, ze zeurt.

Ze gaat zwaaien of zoiets,' zegt Kareltje.

Meteen gooit hij de bal over het hoofd van Sas naar haar fles.

'Hee, dat is niet eerlijk!' roept Sas en ze rent snel terug.

Even later zijn allebei de flessen leeg.

'Zullen we overgooien?' vraagt Sas.

'Zo hoog als je kan!' roept Kareltje.

Ze gooien zo hoog als ze kunnen.

'Nog hoger!'

Met een boog vliegt de bal door de lucht, over de heg, midden in de tuin van mevrouw Pruik.

Geschrokken gluren Kareltje en Sas door de struiken.

De bal ligt helemaal achteraan, bij de vuilnisbak.

'Durf jij hem te pakken?' vraagt Sas.

'Waarom ik?

Jíj gooide te hoog.'

'Maar ík durf niet.'

Kareltje zucht.

'Goed, dan doe ik het wel, ze is toch weg.

Kijk jij of ze eraan komt.'

Terwijl Sas zich achter een struik verstopt, klimt Kareltje over het hek.

Vlug rent hij naar de vuilnisbak en pakt de bal.

'Daar komt ze,' sist Sas.

Kareltje verstijft.

Dan verstopt hij zich razendsnel achter de vuilnisbak.

'Ze is binnen!' roept Sas even later.

Kareltje blijft doodstil zitten.

Zijn hart bonkt in zijn keel.

Straks kijkt ze uit het raam.

En dan zwaait er wat!

Een hele tijd gebeurt er niks.

Kareltje haalt diep adem.

Eén, twee...

De achterdeur gaat open.

Kareltje schiet weer achter de vuilnisbak.

'Naar buiten jullie,' zegt de stem van mevrouw
Pruik.

Dan gaat de deur weer dicht.

Kareltje ademt zachtjes uit.

Ze heeft alleen de katten maar buiten gelaten.

Miauw!

Een zwart kopje verschijnt vanachter de vuilnisbak.

Miauw!

En een rood kopje

Miauw!

Nog een rode.

'Ksst, ga weg! Ksssst!' sist Kareltje.

Geschrokken springen de katten de tuin in.

Kareltje wacht nog even.

En nog even.

Hij haalt diep adem.

'Kom dan...!' roept Sas.

Plotseling staat hij op, rent door de tuin en
springt over het hek.

'Pak de flessen!'

Samen rennen ze naar Sabien.

Ze stoppen pas als ze in de keuken staan.

'Zo zo, jullie hebben gerend,' zegt Sabien.

'We willen binnen spelen,' hijgt Sas.

'We moeten nog rijmen, voor ons lied.

Anders zijn we niet op tijd.'

'Wanneer moet het dan af zijn?' vraagt Sabien.

'Vóór de voorstelling,' zegt Kareltje.
'Die is eh... volgende week.
En jij mag ook komen.'
Samen lopen ze naar boven.

Chris de vis

Kareltje en Sas lopen uit school naar huis.
'Ik heb een vis,' zegt Kareltje.
'Hij is van tante Frieda en hij blijft een week
logeren.'
'Mag ik hem zien?' vraagt Sas.
'Natuurlijk.'
Sabien heeft limonade klaargezet en koekjes.
'We gaan zo naar Chris,' zegt Kareltje met volle
mond.
'Waar woont Chris?' vraagt Sabien.
'Bij mij thuis, in een viskom,' zegt Kareltje.
'Hij is oranje.'
Sabien grinnikt.
'Hier is de groene sleutel,' zegt ze.
'Tot straks!'
Kareltje en Sas lopen naar Kareltjes huis.
'Hoi Chris!
We zijn er!' roept Kareltje.
De viskom staat in de keuken.
In de kom drijven groene slierten en daartussen
zwemt een oranje vis.
'Is het een mannetje?' vraagt Sas.

'Anders heet hij toch geen Chris?' zegt Kareltje.

Sas tikt zacht tegen de kom.

'Wat kun je allemaal met een vis doen?'

'Je kunt ernaar kijken.

En ik moet hem schoonmaken, iedere dag.'

'Waarom iedere dag?'

'Omdat hij de hele dag in het water zit.

Daarom drinkt hij veel en daarom moet hij veel plassen.

En dáárom is het water vies, van de plas.'

'Ik ruik anders niks,' zegt Sas.

'Toch is het zo.'

Kareltje pakt een glazen schaal uit de kast en zet die naast de kom.

Voorzichtig steekt hij zijn hand in het water.

Chris zwemt verschrikt alle kanten op.

'Jaag jij hem naar mij, met je hand,' zegt Kareltje.

'Dat durf ik niet, hoor,' zegt Sas.

'Waarom niet?

Een vis kan heus niet bijten.'

'Een haai wel,' zegt Sas.

'Ja, een háái.

Een haai is toch niet oranje?'

Sas steekt voorzichtig haar hand in de kom.

'Boe!' roept Kareltje.

Sas gilt het uit.

Een flinke scheut water golft over de rand op tafel.

'Ja, ik heb hem!' roept Kareltje.

Snel gooit hij de vis in de glazen schaal en houdt die onder de kraan.

'Ga maar zwemmen, Chris.

Dan gaan wij je kom wassen.'

Puffend sjouwen Kareltje en Sas de kom naar het aanrecht.

Het water plonst over hun handen op de grond.

'We morsen,' zegt Sas.

'Geeft niet,' hijgt Kareltje, 'het water moet toch weg.'

Hij haalt de groene slierten uit de kom, spuit groen afwasmiddel in het water en begint te boenen.

Sas hangt nu met haar hoofd boven de schaal.

'Ik zie geen piemel,' zegt ze.

'Vissen hebben geen piemel,' zegt Kareltje, 'daar zijn ze te klein voor.'

'En een walvis dan?' vraagt Sas.

'Die wel natuurlijk.'

'Waarom?'

'Omdat het zo is.

Dat weet iedereen.'

Kareltje draait de viskom om en laat het sop eruit lopen.

Daarna spoelt hij de kom wel tien keer om.

Overal ligt water.

Op de grond, op het aanrecht en zijn kleren zijn ook nat.

Eindelijk is hij klaar.

'Nu gaan we Chris wassen,' zegt hij.

'Hij moet onder de douche.'

Een vis in een slang

Voorzichtig pakt Kareltje Chris uit de schaal en
houdt hem onder de kraan.
'Kijk, dat vindt hij lekker,' zegt hij.
Ineens floept Chris uit zijn handen.
'O, daar gaat-ie!
Chris!
Chrís!'
Geschrokken draait Kareltje de kraan dicht.
'Hij is weg,' mompelt hij.
'Waar is hij heen?' roept Sas geschrokken.
'Naar beneden, door het putje.'
Kareltje tuurt in het donkere gat.
Dan doet hij het keukenkastje open en gaat op
zijn knieën zitten.
Uit de bovenkant van het kastje steekt een krom-
me buis.
'Ik denk dat Chris in die gekke slang zit,' zegt
Kareltje.
'Wacht, ik ga hem redden.'
'Kun jij daar dan bij?' vraagt Sas.
'Ik denk het wel.
Er zit hier een soort draaiding,' zegt Kareltje.

Vlug gooit hij alle spullen uit het kastje en kruipt er zelf in.

Zo hard als hij kan begint hij eraan te draaien.

'Lukt het?' vraagt Sas.

'Nee.

Já!'

Het ding schiet los.

Een grote plens water valt in het keukenkastje.

Midden in de plas spartelt Chris.

'Ik heb hem!' roept Kareltje.

Snel kruipt hij met Chris uit het kastje en gooit hem in de kom.

Chris zwemt haastig heen en weer.

'Hij leeft nog,' zucht Kareltje opgelucht.

'Chris wel, maar die slang is stuk,' zegt Sas.

Kareltje kruipt weer in het kastje.

'Klaar,' zegt hij even later.

'Opa doet straks de rest wel.

Ga jij nog even dweilen?'

'Waarom ik?'

'Omdat er overal water ligt,' zegt Kareltje, 'en ik moet schone kleren aandoen.'

Terwijl Sas de vloer dweilt, trekt Kareltje een droge broek aan.

Tegelijk zijn ze klaar.
Samen gluren ze in de vissenkom.
'Moet hij echt iedere dag worden schoon-
gemaakt?' vraagt Sas.
'Wat een werk, zeg!'
Ze staat op.
'Ik ben klaar met kijken.'
'Ik ook,' zegt Kareltje.
'Dag Chris, lieve vis!'
'Chris de vis, dat rijmt, net als Soes de poes,' zegt
Sas.
Ze begint vrolijk te zingen.

    'Chris, Chris,
    lieve vis,
    dat ging bijna mis.'

'En we zijn blij dat hij er weer is,' zingt Kareltje
erachteraan.

Kareltje knipt de tulpen

Kareltje en Sas spelen in Kareltjes huis.
'Wat zien jullie bloemen er zielig uit,' zegt Sas.
'Ze hangen helemaal slap.'
Kareltje duwt de bloemen opzij en kijkt in de
vaas.
'Het water is op,' zegt hij.
'Wacht even.'
Hij houdt de gieter onder de kraan en giet het
water in de vaas.
Plotseling stroomt de vaas over.
'Ho, stop!' roept Kareltje.
Vlug pakt hij een handdoek en wrijft de tafel
droog.
Dan stoot hij met zijn elleboog
de gieter om.
En als hij de gieter
rechtop wil zetten stoot
hij de vaas om.
Sas slaat een hand voor
haar mond.
'Kareltje Kluns!' roept ze.
'Niet!' zegt Kareltje.

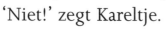

Hij grijpt de vaas en zet
haar overeind.
'Er zit een barst in,' zegt
Sas.
'Waar?'
'Daar, een hele grote. Er
komt allemaal water uit!'
Kareltje tilt de vaas een
stukje op.

Een straaltje water sijpelt door de barst op tafel.
'Is dat erg?' vraagt Sas.
'Ik denk het niet,' zegt Kareltje, 'het was toch een
lelijke vaas.
Ik pak gewoon een nieuwe.'
Hij loopt de kamer uit en komt terug met een
rood vaasje.
Voorzichtig zet hij de bloemen erin.
'Die vaas is veel te klein,' zegt Sas.
'De bloemen hangen nu helemaal op tafel.'
'Omdat de stelen veel te lang zijn,' zegt Kareltje.
'Dat komt omdat het tulpen zijn.
Tulpen groeien altijd door.
Hun hele leven.'
'Waarom?' vraagt Sas.

'Omdat het geen rozen zijn,' zegt Kareltje.

'Rozen doen dat niet.'

Sas kijkt naar de tulpen.

'Ik vind ze nog zieliger dan eerst,' zegt ze.

'Wacht even,' zegt Kareltje.

Hij legt de tulpen op het aanrecht en pakt een schaar.

Eén voor één knipt hij de stelen een stuk korter.

'Ze zijn nog steeds te lang,' zegt Sas.

'Ik ben ook nog niet klaar,' zegt Kareltje.

Met zijn tong uit zijn mond knipt hij van alle stelen nog een stuk af.

Dan zet hij de tulpen in de vaas.

'Zie je wel, helemaal recht.'

'Zijn ze nu niet een beetje kort?' vraagt Sas.

'Nee hoor, ze groeien toch weer aan?

Vanmiddag zijn ze alweer een stuk groter.'
'Denk je echt?'
Kareltje knikt.
'Het is precies goed.
Anders moeten we ze morgen weer knippen.
En dan blijf je aan de gang.'

Sabien is boos

Plotseling tikt Sabien tegen het raam.
Ze zwaait.
In haar hand heeft ze twee ijsjes.
'Hoera!' roept Kareltje.
Vlug doet hij de deur open.
'Alsjeblieft,' zegt Sabien.
'Die hebben jullie vast wel verdiend.'
Dan ziet ze de kapotte vaas.
En het water.
En de stelen zonder tulpen.
En de tulpen zonder stelen.
'Wat is hier gebeurd?' vraagt ze.
'De gieter viel per ongeluk om,' zegt Kareltje.
'En de vaas per ongeluk ook.'
'Maar die tulpen!
Was dat ook per ongeluk?' vraagt Sabien.
'Kareltje heeft ze korter geknipt, maar ze groeien
gewoon weer aan, hoor,' zegt Sas.
Sabiens ogen worden groot.
Ze draait zich om, doet de koelkast open en legt
de ijsjes erin.
'Gaan jullie eens even zitten,' zegt ze dan.

Kareltje en Sas gaan aan tafel zitten.

Sabien kijkt boos.

'Jullie kennen toch de regels van de groene sleutel?' vraagt ze.

Haar stem klinkt ook boos.

Kareltje en Sas knikken.

'De groene sleutel is alleen voor grote kinderen.

Grote kinderen doen geen gekke dingen.

Grote kinderen spuiten geen flesjes parfum leeg.

Die maken geen waterfeesten en die knippen geen tulpenstelen af.'

Kareltje kijkt op.

Hoe weet Sabien dit allemaal?

'Dat waren ongelukjes.

We ruimen het altijd op,' zegt hij.

'Niet goed genoeg,' zegt Sabien, 'en zo kan het niet langer.'

'Maar Kareltje is nou eenmaal een kluns,' zegt Sas.

'Daar kan hij ook niets aan doen.'

'Iemand die tulpenstelen afknipt is geen kluns.

Die is een sukkel,' zegt Sabien.

Ze kijkt naar Sas.

'En iemand die ernaar kijkt is ook een sukkel.'

Sabien pakt haar portemonnee.

'Deze twee sukkels stoppen ieder vijftig cent uit hun spaarpot in deze portemonnee.

En dan kopen ze een nieuwe bos tulpen en komen zo snel mogelijk hier terug.'

Kareltje en Sas pakken de portemonnee en hollen de keuken uit.

Eerst gaan ze naar Kareltjes spaarpot.

En dan naar die van Sas.

Daarna rennen ze zo snel als ze kunnen naar de winkel en terug.

Hijgend komen ze de keuken weer binnen.

Sabien zit aan tafel.

De kapotte vaas en de oude tulpen zijn opgeruimd.

Sabien kijkt ook niet meer boos.

Kareltje en Sas kijken elkaar aan.

'Eén... twee... drie,' zegt Kareltje.

'We zullen het niet meer doen,' zeggen ze tegelijk.

'Ik zal proberen geen kluns te zijn,' zegt Kareltje.

'En ik geen sukkel,' zegt Sas.

Ze kijken Sabien zo lief mogelijk aan.

'Mogen we dan nog de groene sleutel?'

Sabien knikt.

Ze pakt de groene sleutel van de haak.
Dan neemt ze een rode stift en zet een rood stipje
op het kaartje dat aan de sleutel hangt.
'Eén rood stipje betekent één strafpunt.
Bij drie rode stipjes blijft de groene sleutel een
hele week in mijn zak.
Is dat een goede afspraak?'
Kareltje en Sas knikken.

'Mooi,' zegt Sabien, 'dan heb ik nog maar één
vraag.'

'Wat dan?' vraagt Sas.
'Wie wil er een ijsje?'
'Ik!' roepen Kareltje en Sas tegelijk.
Lachend haalt Sabien de ijsjes uit de koelkast.

Geen echte visser

Kareltje en Sas zitten te kaarten.
Ineens loopt opa de keuken binnen.
'Gaan jullie mee vissen?' vraagt hij.
'Ieder een eigen hengel?' vraagt Kareltje.
'Natuurlijk,' zegt opa, 'ze staan al buiten.'
Even later lopen ze met zijn drieën naar de sloot.
Opa draagt de hengels en een stoeltje.
Kareltje draagt de emmer.
En Sas draagt een zak met witbrood.
Onder een boom maakt opa de hengels klaar.
'Jij krijgt de rode,' zegt hij tegen Kareltje.
'En jij krijgt de groene,' zegt hij tegen Sas.
'Moet er geen brood aan?' vraagt Sas.
'Niet zo snel,' zegt opa, 'we maken eerst wonder-
brood.
Dat is brood waar je even op gekauwd hebt.
Dan blijft het beter aan je haakje zitten.'
Kareltje stopt een stuk witbrood in zijn mond.
'Mm, lekker,' zegt hij.
'Geef maar,' zegt opa.
Kareltje begint te giechelen.
'Ik heb het per ongeluk doorgeslikt,' zegt hij.

'Nee, hè!' kreunt opa.

Hij pakt een nieuw stuk brood, kauwt erop en doet het aan de haakjes.

'Vooruit, gooi maar in het water,' zegt hij.

'En goed op je dobber letten.

En niets zeggen, anders jaag je de vissen weg.'

Kareltje en Sas letten goed op hun dobber.

En ze zeggen niets.

Kareltje kijkt naar het rode bolletje.

Daarna kijkt hij naar een dikke hommel die voorbijvliegt.

En dan naar een libel.

En naar de kleine mugjes vlak boven het water.

'Kijk naar je dobber!' roept opa ineens.

Kareltje kijkt.

'Ik zie hem niet!'

'Dan moet je ophalen!' roept opa.

Met een ruk haalt Kareltje op.

De dobber vliegt door de lucht en blijft hangen achter de tak van een boom.

Geschrokken trekt Kareltje net zo lang tot de lijn losschiet.

'Kereltje Kareltje! Wat doe je nou!' roept opa.

'Ik haal op,' zegt Kareltje, 'dat moest toch?'

'Maar niet zo hard,' zegt opa.

'Een echte visser doet voorzichtig.

Nu zit je tuigje helemaal in de war!'

'Dat komt door die boom,' zegt Kareltje.

Ineens begint Sas te gillen.

'Help!

Ik heb een vis gevangen!'

Een kleine vis zwaait door de lucht.

Snel haalt opa hem van het haakje.

'Goed gedaan.

Jij bent tenminste wel een echte visser,' zegt hij.

Voorzichtig doet hij de vis in de emmer.

Kareltje en Sas hangen met hun hoofd boven de emmer.

'Hij heeft rode vinnen,' zegt Sas.

'En hij stinkt,' zegt Kareltje.

'Je stinkt zelf,' zegt opa.

'Niet,' zegt Kareltje.

'Wel, kijk maar onder je schoen.'

Kareltje tilt zijn voet op.

Onder zijn schoen zit een dikke kledder bruine poep.

'Getsiederrie!' roept Sas.

'Dat is hondenpoep!'

Opa lacht.

'Je moet nog een hoop leren,' zegt hij.

'Een echte visser past op zijn dobber, op de bomen én op het gras.'

Eerlijk gevangen

Een rood-witte kat sluipt voorzichtig dichterbij.
Naast de emmer blijft hij staan.
Hij steekt zijn neus in de lucht.
Dan gaat hij met beide voorpoten tegen de emmer
staan en kijkt naar beneden.
'Dat is een kat van mevrouw Pruik,' zegt Kareltje.
'Sst,' zegt Sas, 'we gaan kijken wat hij doet.'
De kat rekt zich helemaal uit.
Zijn kop hangt vlak boven het water.
Plotseling steekt hij een poot in het water.
Heel snel en heel kort.
Hij schudt met zijn kop.
En daar gaat de poot weer.
En nog een keer.
'Hij wil die vis,' zegt Kareltje.
'Zal ik hem geven?'
'Niks daarvan,' zegt opa.
'Als hij een vis wil, moet hij die zelf maar vangen.
Net als wij.'
'Met een hengel?' vraagt Kareltje.
Opa schiet in de lach.
'Met zijn nagels natuurlijk, dat is de natuur.'

'En daarna eet hij hem zeker op,' zegt Sas.
'Misschien neemt hij hem eerst mee naar huis,'
zegt opa.
'Dan bijt hij zijn kop eraf en legt de rest voor de
deur.
Om te laten zien.
Dat is zijn prooi.'
Kareltje begint te grinniken.
'Dan komt mevrouw Pruik naar buiten en dan
glijdt ze uit!' lacht hij.
'En dan valt ze op de grond,' schatert Sas.
'En dan valt haar pruik af!' giert Kareltje.
'En dan zie je haar kale hoofd.'

'En daar zit een wrat op.'

'Een hele grote.'

'En dan waait de pruik weg en dan moet ze erachteraan hollen.'

'Maar er komt een kraai en die vliegt ermee weg!'

'En die maakt er een nest van.'

Kareltje en Sas houden hun buik vast van het lachen.

'Een pruikennest!' brullen ze.

Opa staat op.

'Ik denk dat ik die vis maar weggooi,' zegt hij tegen de kat.

'Anders gebeuren er rare dingen!'

Hij draait de emmer om en gooit de vis terug in de sloot.

Dan pakt hij de hengels.

Kareltje en Sas vegen de tranen van hun wangen.

'Zijn we al klaar met vissen?'

'Nog niet helemaal,' zegt opa.

'Loop maar achter me aan.'

Met zijn drieën wandelen ze naar de viswinkel.

'Vier stukken gebakken vis,' zegt opa tegen de visboer.

'Om op te eten?' vraagt de man.

Opa geeft de man een knipoog.

'Nee, om mee te gooien,' zegt hij.

De visboer maakt twee pakjes klaar.

'Dan gaan we nu naar Sabien,' zegt opa, 'en dan
zeggen we: "Lekkere vis. Helemaal zelf
gevangen".'

'Dat is toch niet waar?' zegt Kareltje.

'O nee?' vraagt opa.

'Hier, vangen!'

Met een boogje gooit hij de pakjes door de lucht.

Kareltje en Sas vangen ze net op tijd op.

Ze kijken elkaar verbaasd aan.

Dan beginnen ze te schaterlachen.

Kareltje en Sas maken een lied

Kareltje speelt op de contrabas.
Sas zit met de koptelefoon op haar hoofd te lezen.
'Sas! Sás!'
Eindelijk kijkt ze op.
'Wat is er?'
'Zullen we nu het lied maken?
Opa eet vanavond met ons mee.
Dan kunnen we voor hem optreden.'
Sas staat op.
'Ik pak het rijmschrift,' zegt ze.
De eerste twee bladzijden staan vol woorden.
'We kunnen wel een dierenlied maken,' zegt Sas.
'Hier staat: "Soes de poes, Chris de vis, Klaas de
haas en Piet parkiet".'
'Ik weet er nog één,' zegt Kareltje.
'Arie kanarie.'
Sas grinnikt.
Ze leest verder.
'"Voor straf is je duim eraf."
O ja, dat is van het pieperlied.
En "Kareltje kannibaal" is van de meloen.
En "elastiek kerstboompiek"...

Waar is dat van?'

'Nergens van, dat heb ik zomaar een keer op-
geschreven,' zegt Kareltje.

'Ik heb een idee: we maken allebei een stukje
lied.

Dan ga ik straks spelen en mag jij het zingen.'

Ze pakken een blaadje en gaan aan tafel zitten.

Sas steekt de pen in haar mond.

'Wat rijmt er op opa?' vraagt ze.

'Niks,' zegt Kareltje.

'En op vissen?'

'Eh... pissen,' grinnikt Kareltje.

Sas puft.

'Jee, moeilijk hoor,' zegt ze.

Kareltje schrijft en schrijft.

'Ik ben klaar,' roept hij.

'Ik niet,' zegt Sas.

Eindelijk legt ze haar pen ook neer.

Kareltje staat al bij de contrabas.

'Dan gaan we nu oefenen,' zegt hij.

'Ik doe maar twee snaren, anders is het te moeilijk.'

'Welke melodie is het?' vraagt Sas.

'Gewoon, die ik verzin.'

'Maar ik moet het weten, anders klopt het niet,'
zegt Sas.
'Dat is juist vrolijk,' zegt Kareltje.
'En opa vindt het toch wel mooi.'
Sas knikt.
'Goed dan.
Als je maar niet zo hard
speelt.'

Kareltje steekt de stok omhoog.

'We moeten tegelijk beginnen,' zegt hij.

'Dan moet jij tot drie tellen,' zegt Sas.

'Of tot vier,' zegt Kareltje.

'Waarom tot vier?'

'Tot vijf is te lang,' zegt Kareltje.

'Daar gaat-ie hoor: één, twee, drie, vier.'

Opgewekt begint hij te spelen.

En Sas begint te zingen.

Eerst haar eigen stuk lied en

dan het stuk van Kareltje.

Het gaat best goed.

En het klinkt nog bijna

gelijk ook.

Een extra uitnodiging

Sas kijkt stiekem naar Kareltje.
Hij strijkt naar links en hij strijkt naar rechts.
Bij ieder geluid gaat zijn mond een stukje open.
Het lijkt wel of het geluid uit zijn mond komt!
Ze begint te lachen.
Dan begint ze te schateren.
Ze giert het uit.
Kareltje houdt op met spelen.
'Waar lach je nu om?' vraagt Kareltje.
'Om jou,' giert Sas.
'Jij trekt zo'n gek gezicht.'
'Hoe dan?'
'Heel serieus.
Als een butler.'
'Een bútler?'
'Sorry hoor,' hikt Sas, 'ik heb de slappe lach.
Het is bijna over.'
Kareltje tilt de stok op.
En meteen begint Sas weer te schateren.
De deur zwaait open en opa komt de kamer
binnen.
'Zo zo, wat hebben jullie een lol.

Mag ik meedoen?'

'Nee,' zegt Kareltje.

'Ons lied is af.

Het rijmt hartstikke goed en we hebben ook al geoefend.'

'Wat een verrassing,' zegt opa.

'En wanneer is de voorstelling?'

'Vanavond voor het eten,' zegt Kareltje.

'Hebben jullie Sabien al uitgenodigd?' vraagt opa.

'Nog niet,' zegt Sas.

'En mevrouw Pruik?'

'Mevrouw Prúík?' roepen Kareltje en Sas.

'Natuurlijk,' zegt opa, 'en mevrouw Pruik krijgt korting.

Haar kaartje kost maar één euro.'

'Maar de kaartjes zijn gratis,' zegt Kareltje.

Opa lacht.

'Kereltje Kareltje, dat weet zíj toch niet?

Zo verdienen jullie mooi het geld voor de tulpen weer terug.'

Kareltje en Sas kijken elkaar aan.

'In onze eigen huis durft ze vast niks te zeggen,' zegt Kareltje.

'En niks te doen,' zegt Sas.

'Dat is dan geregeld,' zegt opa.

'Maken jullie de uitnodiging, dan maak ik het podium.'

Terwijl Sas een uitnodiging schrijft, legt opa een kleed op de grond.

Aan de rand van het kleed zet hij de bank.

'Moeten we ons nog verkleden?' vraagt Kareltje.

'Ik weet niet hoe een muzikant eruitziet,' zegt Sas.

'Ik wel,' grinnikt opa.

Hij trekt de mondharmonica te voorschijn.

'Kijk, zó ben ik een muzikant.'

Hij stopt de harmonica weer in zijn zak.

'En zó ben ik weer opa.

Heel simpel.

En nu breng ik de uitnodiging naar mevrouw Pruik, dan kunnen jullie vast zenuwachtig worden.'

De voorstelling

Opa zit op de bank.
Naast hem zit Sabien.
Daarnaast zitten Kareltjes vader en moeder.
En op het hoekje zit mevrouw Pruik.
Haar haar staat nog hoger dan anders.
Maar dat geeft niet.
Ze heeft een euro betaald en ze kijkt niet eens erg
boos.
'Taratatataaaa, de voorstelling kan beginnen,' roept
opa.
Kareltje en Sas geven elkaar een hand en buigen.

Kareltje gaat achter de contrabas staan.
En Sas schraapt haar keel.
'Eén, twee, drie, vier,' telt Kareltje.
Ze beginnen precies tegelijk.
Kareltje strijkt.
En Sas zingt.
Opa tikt stiekem mee met zijn voet.
En iedereen kijkt, natuurlijk.
Na een tijdje pakt opa stilletjes zijn mondharmo-nica uit zijn zak.
Heel zacht begint hij mee te spelen.

Kareltje lacht van oor tot oor.
Het lied klinkt geweldig.
De voorstelling is helemaal geslaagd.
Als het stil is, begint opa te klappen.
De anderen klappen hard mee.
Zelfs mevrouw Pruik doet iets met haar handen.
'Bravo!' roept opa.
'Bravo!' roept Sabien.
'Bravo!' roepen Kareltjes vader en moeder.
Kareltje en Sas kijken elkaar lachend aan.
'Goed van ons, hè?' fluistert Kareltje.

Dit is het stukje lied van Kareltje

Opa is de liefste man

die heel goed rijmen kan
Maar zo goed als dit lied
kan hij het niet
ik was een keer een kannibaal
want ik at een meloen
en een meloen is kaal
en opa krijgt en opa krijgt een zoen

en hij heeft aardappels geschild
en hij heeft niet gegild
hij leert mij konsebas spelen
dat kan me veel schelen
hij maakt altijd muziek
over de kerstboompiek

hij komt alle dagen
en hij weet alle vragen
hij heeft veel verstand
hij is de liefste opa van het land

En dit is het stukje lied van Sas

Soes appelmoes
is een lieve poes
en ~~chris is oranje~~ oranje chris
is een lieve vis
hij zat in een slang
maar kareltje is niet Bang.
hij heeft chris gered
hij heeft hem in de kom gezet

Toen waren we punk ~~pattk~~ verkleed
als je dat maar weet
merrouw pruik ~~schrok zich dood~~
en we gingen in de sloot vissen
en ik ving een vis maar
het was niet chris
hoera hoera hoezee
opa mag altijd met ons mee
en opa kan ook vliegeren.

einde

Lees ook de andere boeken van
Tosca Menten en Jeska Verstegen

Ollie is een heel bijzonder uiltje.
Hij lust geen muizen,
kijkt het liefst naar kleuren en
durft niet eens te vliegen!
Is hij eigenlijk wel een uil?
Hoe moet dat nu verder?
Gelukkig ontmoet hij Kik.
Kik weet op alle vragen een
antwoord. Met Kik kan Ollie
griezelen, feestvieren en
'honderd lachen'.
Samen worden ze de beste
vrienden van de hele wereld.

Gebonden en volledig in kleur
vanaf 4 jaar
ISBN 90 00 03439 6
€ 16,50

Iedere vakantie logeert Pim bij
opa Fred en oma Marie. Oma
Marie bakt heerlijke taarten en
zingt de hele dag. Opa Fred heeft
een gezicht vol kreukels, een kale
kop en vergeethersens.
En dat is nog niet alles…
opa Fred heeft dezelfde
sprookjesogen als Pim.
Samen zien ze kaboutertjes,
elfjes en drakentanden.
Op een dag zien ze zelfs een
luchtkasteel!

Gebonden en volledig in kleur
vanaf 5 jaar
ISBN 90 00 03546 5
€ 16,50